Julie T

Chocolats, monstres et compagnie

Éditions de la Paix

Collection Passeport
Pour les 9 à 12 ans

Passeport *représente le visa pour l'aventure avec un grand A.*

Conseil des Arts du Canada   Canada Council for the Arts

SODEC Québec

Les Éditions de la Paix remercient
le Conseil des Arts du Canada et la Sodec de l'aide accordée à son
programme de publication et reconnaissent l'aide financière du
gouvernement du Canada par l'entremise du Fonds du livre
canadien pour ses activités d'édition.

Les Éditions de la Paix bénéficient également du
Programme de crédit d'impôt pour l'édition de leurs livres
– Gestion SODEC – du gouvernement du Québec.

Julie Tétreault

Chocolats, monstres et compagnie

Illustré par
Jean-Guy Bégin

Collection Passeport, n° 77

Éditions de la Paix

Pour la beauté des mots et des différences

Maison d'édition	**Les Éditions de la Paix Inc.** 127, rue Lussier Saint-Alphonse-de-Granby (Qc) J0E 2A0 Tél. et téléc. : 450-375-4765 **Rejoignez-nous sur Facebook**
Direction littéraire	Gilles Côtes
Révision	Jacques Archambault Gilles Côtes
Illustration	Jean-Guy Bégin
Infographie	Simon Bousquet JosianneFortier.com

© **Les Éditions de la Paix Inc. Julie Tétreault**
Dépôt légal 3e trimestre 2011
Bibliothèque nationale du Québec
Bibliothèque nationale du Canada
Imprimé au Canada

**Catalogage avant publication de Bibliothèque et
Archives nationales du Québec et Bibliothèque et
Archives Canada**

Tétreault, Julie, 1983-

    Chocolats, monstres et compagnie

    (Collection Passeport ; no 77)
    Pour les jeunes de 9 à 12 ans.

    ISBN 978-2-89599-092-5

    I. Bégin, Jean-Guy. II. Titre. III. Collection: Collection
Passeport (Saint-Alphonse-de-Granby, Québec) ; no 77.

PS8639.E892C46 2011   jC843'.6   C2011-942054-6
PS9639.E892C46 2011

À Cédric,
mon petit prince chocolaté

Merci à Sophie Rondeau, pour sa patience, son temps, son immense générosité, et surtout, pour avoir cru en moi.

Merci à Maude Boivin, la meilleure chocolatière de la Rive-Sud de Montréal. Merci à la chocolaterie artisanale Érico, pour les informations inestimables sur le chocolat.

Merci à Gilles Côtes pour ses encouragements et à Jean-Paul Tessier pour son appui.

Merci à Denise Boudreault pour les précieux conseils.

Merci à Olivier Fillion, pour ses conseils et pour son grand enthousiasme face à mon projet d'écriture.

Merci à Emily Fillion, pour son sourire et sa bonne humeur, dans mes moments de doutes.

Merci à tous mes petits neveux et nièces, pour l'inspiration qu'ils m'ont apportée.

Merci à Claudine Provost pour son amour des mots.

Et finalement, un merci gros comme le ciel à Steve Fillion pour m'avoir laissé réaliser ce beau projet. Ton soutien et ton amour m'ont permis d'aller jusqu'au bout de mon rêve de petite fille.

Dites chocolat...

En allemand : schokolade

En mandarin : tchyaokeuli

En italien : cioccolato

En russe : chokalade

En anglais : chocolate

En danois : chocolade

En espagnol : chocolate

En finnois : suklaa

En grec : sokolata

En polonais : czekolada

En tchèque : c'okolàda

En turc : çikolata

Chapitre premier

Une visite chocolatée

— C'est en 1494 que le grand Christophe Colomb découvre les haricots qui sont à l'origine du chocolat. Le voyageur n'a pas été impressionné par cette découverte. On raconte même qu'il aurait jeté par-dessus bord les petites fèves brunes.

— Pourquoi il a fait ça, monsieur Colomb ?

— Parce qu'il croyait que c'était des crottes de chèvre.

Tous les élèves de la classe éclatent d'un énorme rire. Ce n'est pas dans nos livres d'école qu'on apprend des histoires comme celle-là. La raison sociale *Choco-Là* est géniale. La petite dame qui nous a accueillis nous a même promis une dégustation de chocolat à la fin de la visite. Quand madame Lafouine, notre enseignante, nous a annoncé cette sortie, tout le monde a hurlé de joie. Surtout Loïc qui est le plus gourmand de nous tous.

Il rêvait d'y aller depuis longtemps. Mais sa mère refuse toujours de l'y emmener, de peur qu'il ne mange les friandises présentes et devienne aussi énorme qu'une montgolfière. Madame Lafouine doit donc le surveiller de très près, pour qu'il ne mette pas ses petits doigts dodus dans le chocolat en démonstration.

Madame Maude, la chocolatière, est très gentille et surtout extrêmement patiente avec nous. Malgré les chuchotements et les espiègleries des élèves, elle garde son grand sourire et poursuit la visite sans broncher. Nous entrons dans la cuisine où sont fabriquées les délicieuses bouchées. Madame Maude prend le temps de nous présenter chaque outil nécessaire à la confection des chocolats.

— Ici, sur le comptoir, il y a les instruments que j'emploie tous les jours. Le plus important est la spatule. Sans elle, le chocolat se fige et il devient beaucoup trop épais. J'utilise donc cet outil pour bien remuer le chocolat. Ensuite, lorsque je veux faire de succulentes truffes, je me sers de la fourchette à tremper. Elle m'aide à plonger les boules de cacao figées dans le chocolat liquide.

Par la suite, je peux les enrober d'une bonne garniture en utilisant des bonbons arc-en-ciel ou des morceaux de jujubes.

Je salive juste à y penser. Loïc tente déjà d'attraper quelques miettes de chocolat sur le comptoir. Madame Lafouine lui donne une petite tape sur l'épaule pour le rappeler gentiment à l'ordre.

Les explications sont très intéressantes, mais j'ai de la difficulté à tout voir, car je suis complètement à l'arrière. Il faut dire que je ne suis pas bien grand. Dans les rangs, je suis toujours le premier. Donc, en ce moment, il y a des camarades qui me dépassent d'une tête et qui m'empêchent d'observer ce qui se déroule à l'avant. J'essaie de bouger ma tête de gauche à droite, entre les épaules des autres élèves, mais c'est peine perdue. Je décide alors d'aller m'accroupir au mur et d'attendre sagement. Les propos de la chocolatière sont passionnants, mais en ne voyant pas ce qui se passe, le temps me paraît très long.

Alors, j'observe attentivement autour de moi. Le local me semblerait tout à fait ordinaire si ce n'était pas l'endroit où l'on fabrique les chocolats.

La pièce est si minuscule que nous sommes entassés comme des sardines. Les murs beiges n'ont sûrement pas été choisis par un enfant. Près du plafond, il y a une toute petite fenêtre. Un chat n'arriverait même pas à la traverser sans rester coincé . Finalement, si on ne voit pas la démonstration de la chocolatière, il n'y a rien de bien intéressant à regarder. Quoique je sois un peu intrigué par cette haute étagère métallique d'un rouge éclatant, située dans le coin droit de la pièce.

— Madame Maude ?

Toutes les têtes se tournent vers moi, sauf celle de Loïc, qui garde les yeux fixés sur le chocolat.

— Oui, mon grand ?

— C'est quoi ce meuble au fond de la salle ?

— Ah ! Je suis contente que tu en glisses un mot. Tu es un bon observateur.

Ça me fait bien rire qu'elle me dise ça, car je ne vois pas grand-chose de la visite avec toute la classe devant moi.

C'est une échelle. Ce n'est pas très original comme appellation, mais elle est très pratique. Lorsqu'ils sont prêts, j'introduis les moules en chocolat à l'intérieur de chaque espace pour leur permettre de figer. Les nombreux étages permettent de solidifier plusieurs chocolats à la fois. Durant certaines périodes de l'année, comme à Noël ou à la Saint-Valentin, la production est à son maximum et j'ai besoin de beaucoup d'espace pour remiser mes chocolats.

Je n'écoute déjà plus la réponse, même si c'est moi qui ai posé la question. Pendant les explications, quelque chose de mystérieux a attiré mon attention. À l'extérieur du local, un bruit étrange me déconcentre. On dirait un chat qui veut entrer en grattant une porte. Comme le bruit est constant, il n'en faut pas plus pour exciter ma curiosité.

Je profite du moment où la chocolatière dirige notre classe vers le comptoir des ventes, pour me faufiler dans un corridor étroit et peu éclairé. Je suis curieux d'en savoir plus sur ce grattement mystérieux. Le bruit m'entraîne dans une pièce, au fond de la chocolaterie. À mesure que j'avance, le bruit devient presque inaudible. Je marche sur la pointe des pieds afin de ne pas heurter les objets qui encombrent la pièce. Je suis très conscient que je ne devrais pas me trouver ici.

— Hé toi ! Qu'est-ce que tu fais là ?

Un grand monsieur costaud m'interpelle, du fond de la pièce. Il porte une casquette et un sarreau marine. Devant lui, un grand seau à roulettes est surmonté d'une vadrouille. Le type n'a pas l'air d'apprécier ma visite.

— Euh...je cherche...les toilettes. J'ai très envie.

L'homme, qui semble être le concierge de la chocolaterie, m'indique où sont les toilettes en pointant la direction d'où proviennent les bruits étranges.

— Première porte à droite. Dépêche-toi. Tu n'as pas le droit de traîner ici.

Impressionné par son ton de voix belliqueux, je m'exécute un peu trop rapidement et je trébuche sur un amas d'objets.

— Aïe.

Un peu assommé, je titube jusqu'à la première porte que je vois. Il fait trop sombre pour distinguer si je suis bien en face des toilettes. Peu importe, car je n'ai pas vraiment envie d'y aller. Je veux simplement éviter les réprimandes du concierge. Mon instinct me suggère de faire demi-tour et d'aller rejoindre le groupe. Mais le petit démon en moi me pousse à continuer. Au diable la bonne conduite ! Au point où j'en suis, aussi bien terminer ma visite. Je tourne la poignée très lentement et pousse la porte délicatement. Un long grincement aigu me donne la chair de poule. Je disparais de l'autre côté de la porte.

Chapitre 2

Du chocolat, encore du chocolat !

Mais où suis-je ? Un gros nuage de poudre opaque m'empêche de voir autour de moi. Pris de panique, je me retourne pour m'assurer que la porte est toujours derrière moi. Et si elle s'était verrouillée en se refermant ?

Les mains moites, j'agrippe la poignée. Je l'actionne vivement dans tous les sens, sans succès. Le battant refuse de bouger. Je suis prisonnier.

— Au secours !

Je frappe à coups de pied dans la porte, en espérant que quelqu'un vienne m'ouvrir. De grosses gouttes de sueur perlent sur mon front. Je ne veux pas rester ici pour toujours. Après quelques minutes d'efforts inutiles, je m'accroupis au bas de la porte. Dans quelle galère me suis-je embarqué ? Il faut absolument que je trouve un moyen de sortir d'ici. Je prends quelques minutes pour retrouver mon sang froid et commencer à explorer les lieux. Peut-être existe-t-il une deuxième porte quelque part ?

***

Ça sent drôlement bon ici ! Une délicieuse odeur de sucre me chatouille les narines. Les yeux plissés pour mieux voir, je tente de marcher un peu pour découvrir l'endroit. Lentement, la poussière se dissipe et laisse place à un drôle de paysage. Si je m'attendais à ça ! Tout est brun. Le sol, les maisons, le gazon. Je suis dans un village que je ne connais pas. Je fais quelques pas pour explorer les environs. À quelques mètres devant moi se trouve une énorme fontaine. Étrangement, l'eau qui coule est brune et épaisse comme de la boue. C'est vraiment dégoûtant !

Je continue d'avancer. L'endroit est plutôt calme. Le vent siffle dans mes oreilles. Il transporte avec lui un arôme de caramel. Miam. Je décide de me laisser guider par cette odeur. Après quelques minutes de marche, je me retrouve devant un arbre gigantesque. D'une hauteur vertigineuse. Il doit faire deux fois la taille du plus grand manège de La Ronde. Impressionné, je lève la tête pour le contempler. Pour être aussi gigantesque, il doit être âgé de plusieurs centaines d'années. Au bout de ses longues branches crochues sont suspendues de grosses pommes brunes. Décidément, tout est brun dans cet endroit!

L'arbre n'a probablement pas aimé ma réflexion puisqu'il me balance une de ses pommes sur la tête.

— Aïe !

Je sens qu'une énorme bosse enfle sur mon crâne. Je n'aurais pas dû m'approcher de cet arbre bizarre.

Tout à coup, je sursaute. Des cris aigus, semblables à ceux d'une souris, se font entendre derrière moi. Lentement, je me retourne. Mes jambes tremblent comme de la guenille, car j'ai une peur bleue des rongeurs. Dans l'espoir qu'elle s'en aille, je ferme les yeux.

— Qui es-tu ? Que veux-tu ? Surtout, ne t'avance plus vers cette pomme chocolatée au caramel. Sans quoi, tu risques d'énormes ennuis.

Une souris parlante ? C'est impossible. Je me risque à ouvrir un œil, puis l'autre. Devant moi se trouve un tout petit homme. Contrairement au paysage, il n'est pas brun. Il est tout ce qu'il y a de plus normal, bedonnant avec un visage rond. Il a une grosse barbe blanche, parsemée de gris, qui lui donne une allure de père Noël. Sur sa tête, il porte un grand bonnet pointu de couleur bleue. À bien y penser, avec son chapeau et sa petite taille, il ressemble plutôt à une statuette représentant un nain de jardin. Drôle de personnage. À part les sons stridents qu'il a émis au début de notre rencontre, il n'a absolument rien d'une souris. Par contre, si je ne me présente pas au plus vite, je sens qu'il pourrait se transformer en gros méchant chat! Et c'est moi qui risquerais de devenir la souris.

— Bonjour, je m'appelle Cédric. Je ne veux de mal à personne. Je cherche simplement à savoir où je suis.

Le petit homme barbu me regarde avec de grands yeux ronds.

— Tu es dans le village chocolaté, l'endroit le plus sucré du monde entier. La pomme que tu as reçue sur la tête vient de notre plus vieil arbre : le pommier choco-caramelo. Tu viens du monde non-chocolaté, si je comprends bien ?

J'acquiesce d'un signe de tête. L'homme tourne autour de moi en m'observant.

— Tu es le premier, de l'autre monde, à traverser ici. Nous venons tout juste de terminer la construction de la porte qui mène à notre village. Nous n'avions pas prévu de visiteurs aussi rapidement.

— Je suis vraiment dans un monde chocolaté ?

— Mais certainement.

Il hésite un instant, avant de me confier :

— C'est ici qu'est fabriqué tout le chocolat utilisé dans le monde entier. Mais depuis quelque temps, une grande menace plane sur notre village.

Je lui offre un sourire en guise de sympathie. L'homme poursuit son récit.

— Comme tu as pu le constater, ici, tout est fait en chocolat : la nature, les bâtiments et même nos récoltes. Nous

nous nourrissons uniquement de chocolat.

Mon interlocuteur est très excité de me parler de son village. Comme c'est nouveau pour moi, je suis bien attentif, mais surtout très surpris d'apprendre qu'il existe un endroit comme celui-ci.

— Ce serait le rêve de bien des enfants !

Le petit homme ne semble pas m'avoir entendu. Une moue de tristesse se dessine sur son visage rosé et joufflu. Je trouve son expression un peu intrigante.

— Ça ne va pas ?

— Ça va...ça va. En fait, ça irait encore mieux si...

— Si quoi ?

Ma curiosité vient d'être piquée au vif. Je vois bien que quelque chose ne va pas. On ne passe pas d'un état d'excitation à une tristesse aussi rapidement !

Chapitre 3

L'ennemi du village

Heureusement, l'homme ne met pas trop de temps à m'expliquer la suite.

— Depuis quelques semaines, tous les habitants du village chocolaté sont malheureux. La nuit tombée, un inconnu dévaste nos jardins. Jour après jour, les récoltes disparaissent avec le sourire des villageois. Si nous ne mettons pas la main sur le coupable, j'ai peur de ce qu'il adviendra de notre petit paradis chocolaté.

J'entrevois le pire. Comment feraient ces pauvres gens pour se nourrir si toutes les provisions se volatilisaient ? Il faut agir rapidement. De mon air le plus sérieux, je lui demande :

— Qu'avez-vous fait jusqu'à présent pour résoudre le problème ?

Le petit homme semble au bord du désespoir.

— Nous avons bien tenté de piéger le voleur à plusieurs reprises. Malheureusement, rien n'a fonctionné. Le coupable est très malin. Un vrai petit rusé. C'est pourquoi nous avons construit la porte par laquelle tu es arrivé. Nous voulons traverser de l'autre côté, dans ton monde, pour voir si nous pouvons trouver une solution. Peut-être existe-t-il des façons, que nous ne connaissons pas, de protéger nos récoltes.

En l'écoutant parler, un événement me revient à la mémoire. L'an dernier, à l'école, alors que j'étais en troisième année, j'ai vécu la pire semaine de ma vie. Chaque jour, ma boîte à lunch disparaissait de mon casier, tout juste avant l'heure du dîner. Trop timide pour en parler à quelqu'un, je sautais le repas du midi, faisant croire aux autres que je mangeais rapidement. Ma boîte à lunch était de retour dans ma case, quelques minutes avant le signal de la fin des classes. Heureusement, Claudine, mon enseignante, avait fini par s'apercevoir que quelque chose n'allait pas. Elle a mené sa petite enquête. Nous avons finalement appris que c'était un élève de sixième année qui avalait mon dîner. Il ne voulait pas vraiment m'incommoder ; sa famille était pauvre et ne pouvait lui fournir le repas du midi. Le directeur de l'école s'est occupé de lui venir en aide rapidement. Je ne souhaiterais même pas à mon pire ennemi de vivre une telle situation.

Je comprends donc ce que peut ressentir le petit homme, par rapport aux disparitions des récoltes de son village. Je vais tout faire pour lui donner un coup de main.

— Je peux peut-être vous aider à sauver votre village.

Le petit monsieur éclate de son grand rire aigu qui ressemble à s'y méprendre au cri d'une souris s'enfuyant dans son trou. Il ricane si fort qu'il en hoquète.

— Pourquoi réussirais-tu plus que nous tous ?

Pff ! Pour qui se prend-il, pour oser rigoler de moi de cette façon ? Rouge de colère, je lui réplique du tac au tac :

— Parfait, alors débrouillez-vous tout seul.

Il arrête de rire d'un coup. Il s'approche lentement de moi. Puis il me scrute du regard pendant de longues secondes avec ses grands yeux bleus. Ses sourcils ballottent de haut en bas. Il a l'air très songeur.

— Bon, d'accord. Pardonne-moi. Si tu crois pouvoir nous aider, alors...

Le petit homme est interrompu par un vieux monsieur qui galope joyeusement vers nous.

— Nougat, Chocolatine te cherche. Tu es en retard pour le dîner. Au menu : crème de cacao avec riz bruni aux pépites de chocolat. Un vrai régal !

Sans même me saluer, Nougat, dont je viens enfin d'apprendre le nom, disparaît en courant. Me voilà seul avec un nouvel habitant du village.

— Bonjour. Je suis Cédric. Je pense pouvoir vous aider à sauver votre village. Vous êtes ?

Le vieil homme ne bouge pas d'un poil. Peut-être ne m'a-t-il pas entendu ? Je décide de parler plus fort.

— BONJOUR. JE SUIS CÉDRIC. ET VOUS ?

Surpris, il bondit dans les airs, de quelques centimètres.

— Hé ! Pas la peine de crier. Tu vas faire tomber toutes les noix de choco de leur arbre. Je m'appelle Moka. Toi, qui es-tu ?

Je lâche un grand soupir. Soit cet homme ne comprend vraiment rien, soit il fait la sourde oreille. Je prends mon air sérieux.

— Mon nom est Cédric. Je suis ici pour enquêter sur la disparition de vos récoltes.

Le vieil homme me sourit. Il lui manque plusieurs dents. Maman dirait qu'il a probablement mangé trop de sucreries.

— Je suis content que tu sois ici, Éric. Nous avons besoin de renfort.

— Je m'appelle CÉDRIC.

— C'est ce que j'ai dit : Éric ! Ah ! les jeunes.... vous n'entendez rien à force d'écouter votre musique à tue-tête !

Je ris tout bas en me disant qu'il vaut mieux ne pas le contrarier. Il est temps de commencer mon enquête.

— Avez-vous remarqué quelque chose d'anormal ces derniers jours?

Moka devient aussi rouge qu'un poivron.

— Anormal ? Il n'y a que ça, des situations anormales dans ce village.

Je suis surpris par cette colère soudaine.

— Avez-vous des exemples ?

Le vieil homme reprend son calme. Il adopte l'attitude de quelqu'un qui s'apprête à confier un secret.

— Si tu savais tout ce que je vois la nuit...

Moka semble détenir certaines informations importantes. Je dois lui tirer les vers du nez.

— Que voyez-vous ? Dites-moi. Je veux tout savoir.

Le petit monsieur se rapproche de moi sur la pointe des pieds. Le bruit de ses pas sur le sol chocolaté résonne à mes oreilles : splatch, splatch. L'odeur de chocolat me fait penser au bon goût de mes tartines au Nutella. Je salive à cette pensée. Miam.

J'en oublie presque Moka, qui me fixe.

— Es-tu sûr de vouloir entendre ce que j'ai à te dire, Éric ?

Décidément, je ferais mieux d'accepter mon nouveau prénom.

— Mais bien sûr! Je vous écoute.

Voilà que le vieil homme prend un air encore plus mystérieux. Son regard sombre et ses yeux plissés me donnent la chair de poule. Moka me fait signe de m'asseoir sur un petit banc tout près de nous. Fabriqué avec du chocolat blanc, il est décoré de centaines de bonbons : des roses, des mauves, des verts, des bleus... Toutes les couleurs y apparaissent. N'importe qui aurait envie d'en prendre

une bonne croquée. [...]

ma mère ne me dirait [...]

finir mon assiette.

Moka sourit en voy[...]

admirateur. Puis il me [...]

sait.

— La nuit, lors[...]

habitants sont endor[...]

vient longer les murs [...]

Cette silhouette est g[...]

dirais qu'elle est auss[...]

vieux   pommier   c[...]

Parfois, quand je ten[...]

peux entendre son [...]

groaar....

Je [...]

récit [...]

comm[...]

Par c[...]

lui e[...]

—

rugis[...]

—

D[...]

mon [...]

gem[...]

terr[...]

—

lége[...]

U[...]

corp[...]

bég[...]

suis totalement envouté par le
de Moka. À dire vrai, je
ence à avoir un peu la trouille.
ontre, il n'est pas question que je
glisse un mot.

De quoi parles-tu ? Quels
sements ?

De SES rugissements à LUI.

evant mon incompréhension,
interlocuteur me regarde étran-
nt, comme si j'étais un extra-
stre en chocolat.

Tu ne connais donc pas la
de du monstre Chocolaterreur ?
n grand frisson me parcourt le
s. Je ne peux m'empêcher de
yer.

— Cho-cho-co-la-la qui ?

— Chocolaterreur. Je suis sûr qu'il est à l'origine de toutes ces disparitions. Un monstre doit bien se nourrir, pour vivre.

Je suis complètement sous le choc. Dans le monde que j'ai quitté ce matin, les créatures monstrueuses n'existent pas. Le vieux Moka doit délirer. Je ferais mieux de me méfier. Le coupable ne peut pas être un monstre.

Moka me regarde avec des yeux interrogateurs.

— Les monstres n'existent pas.

J'ai crié cette information si fort, que son écho résonne dans tout le village. Quelques fruits chocolatés en sont même tombés de leur arbre. Je suis un peu mal à l'aise de m'être emporté autant. Le vieux Moka rit dans sa barbe.

— Nous n'avons jamais été confrontés au monstre Chocolaterreur. C'est une légende qui nous fait croire à son existence. Mais ça expliquerait aussi la disparition de nos récoltes.

J'ai souvent entendu raconter des légendes, l'été, dans les colonies de vacances. Je n'ai par contre jamais su si elles existaient vraiment. L'an passé, mon moniteur m'avait assuré qu'il avait rencontré le fantôme du lac près duquel nous campions. Il avait l'air très sincère. Je ferais peut-être mieux de prendre le vieux Moka au sérieux...

— Elle raconte quoi, ta légende ?

Le sourire aux lèvres, le barbu semble ravi d'avoir quelqu'un à qui raconter son récit. Il faut dire que tous les habitants du village doivent déjà la connaître et que je suis le premier inconnu à entrer au village.

— Il y a plusieurs années, le village chocolaté était habité par une famille de monstres. Ils étaient immenses, avec d'énormes pattes velues et des antennes qui touchaient le ciel. Ils avaient des dents pointues comme des aiguilles et une tête aussi grosse qu'un ballon de plage. Ils devaient faire très peur. La légende raconte qu'ils ont habité ici très longtemps. Ils ont eu des enfants, tout aussi poilus qu'eux, et vivaient dans le bonheur. Ils semaient des graines de cacao partout. Petit à petit, c'est ainsi que le village chocolaté est né. La famille monstrueuse coulait une vie heureuse, jusqu'au jour où une autre famille monstrueuse s'est retrouvée au village.

Je suis totalement absorbé par le récit de Moka.

— Qu'est-il arrivé ? Ils ont fait équipe et ont partagé le village ?

— Oh non ! C'aurait été trop beau ! La légende raconte que les monstres, qui avaient pris possession du village, n'avaient pas l'intention de partager quoi que ce soit. C'était de vrais monstres égoïstes, ils voulaient tout pour eux. La deuxième famille trouvait la situation très injuste et désirait à tout prix arriver à une entente.

— Ont-ils réussi ?

— Hélas, non. Les Choco-Proprio, c'était leur nom, étaient prêts à se battre pour garder le village tel qu'ils l'avaient construit. La nouvelle famille ne voulait pas en venir aux coups, mais ils n'ont pas eu le choix ; une grande guerre a commencé. Coups de griffes, morsures et épilations ont suivi. Aucune des familles n'avait l'intention de lâcher prise.

— Combien de temps tout ça a-t-il duré ?

— On dit que la bataille se serait étendue sur plusieurs semaines.

— Et qui a gagné ?

— Personne.

Je ne comprends plus rien. J'attends la suite de l'histoire avec impatience.

— Voyant qu'ils n'arrivaient à rien, les deux familles en sont venues à une décision commune. Puisque personne n'était assez fort pour conquérir l'endroit, personne n'aurait le droit d'y rester. Les deux familles ont donc abandonné les lieux, pour aller vers une nouvelle destination inconnue.

Je suis sidéré. Je ne m'attendais pas à une fin comme celle-là.

— Alors, pourquoi avez-vous toujours peur de leur retour ?

— Voilà le problème.

— Le problème ? Si les monstres ont laissé le village pour de bon, je ne vois pas où est le problème.

— Au moment où les deux familles ont quitté les lieux, elles auraient pris deux directions différentes. Elles voulaient être certaines de ne pas se croiser. Une famille se serait alors dirigée vers la forêt chocolatée et l'autre, vers le sentier des chocolats. La légende raconte qu'un bébé choco-monstre se serait égaré dans la forêt. Lorsque les parents s'en sont rendu compte, ils avaient parcouru beaucoup trop de chemin et ils n'ont jamais pu le retrouver. Donc, si nos calculs sont bons, il existerait un monstre dans la forêt chocolatée! C'est ce bébé qui est devenu adulte dont nous avons peur.

Je comprends tout à présent. La bête doit se nourrir. La possibilité qu'il vienne voler des récoltes aux habitants est donc bien réelle. Et les villageois, qui connaissent la légende et la force des monstres, craignent que la créature s'en prenne à eux pour reprendre possession du village.

Je sympathise avec les villageois. Je regarde Moka, qui se frotte le menton du bout de son index. Il est très songeur.

— C'est un peu grâce à eux que nous pouvons vivre ici, aujourd'hui. Dommage qu'ils aient été si différents de nous. Ils ont si bien entretenu les terres chocolatées, que nous n'avons pas eu à travailler très fort pour nous installer. Par contre, nous en payons le prix, nous vivons tous les jours avec la hantise de leur retour! S'il fallait qu'ils reviennent, nous ne donnerions pas cher de notre peau.

Moi non plus, je n'ose même pas imaginer ce que serait le retour des monstres au village. Les villageois ne pourraient rien contre de grosses bêtes avec des dents pointues! Un long silence s'installe.

Chapitre 4

Une piste
à suivre

Une jeune fille à vélo traverse la chaussée chocolatée à toute allure et m'éclabousse de pépites de chocolat au passage. J'en profite pour m'essuyer le visage avec mon avant-bras et goûter enfin au cacao, d'un grand coup de langue. Un vrai régal !

Mes papilles gustatives sont excitées comme jamais et en redemandent. Miam.

Pendant que je déguste les éclaboussures de la rue, Moka crie à la jeune fille :

— N'est-ce pas, Sucette, que Chocolaterreur rôde ici la nuit ?

La fillette tourne la tête, mais poursuit son chemin en pédalant très vite. Moka ne semble pas surpris.

— Nom d'une pipe en chocolat ! Toujours aussi pressée, cette Sucette. C'est tout le contraire de moi ! Mon petit Éric, tu ne devrais pas perdre ton temps avec un vieillard comme moi. Tu ferais mieux d'aller interroger les plus jeunes, comme Sucette! Je la trouve bien mystérieuse depuis quelque temps. Elle détient peut-être des informations sur ce monstre.

— Bonne chance.

Sur ces paroles, le vieux Moka s'éclipse. Je ne suis pas très avancé dans mes recherches, mais j'en sais au moins un peu plus sur ce monstre Chocolaterreur. Mais, existe-t-il vraiment ?

Chapitre 5

La mystérieuse Sucette

Depuis plus d'une heure, je suis assis au centre du village. Je suis perché sur un rocher en chocolat. Sa garniture de poudre de cacao me tache les fesses et son arôme à l'érable, me titille les papilles. Je dois faire un grand effort pour ne pas y goûter. J'attends patiemment que quelque chose se passe, quand un bruit de pas me tire de mes rêveries. À quelques mètres de moi, au pied de la fontaine en chocolat, Sucette s'affaire à remplir plusieurs bouteilles du merveilleux coulis de chocolat qui s'écoule lentement dans le puits. La phrase du vieux Moka me revient soudainement à l'esprit : « Tu ferais mieux d'aller interroger les plus jeunes, comme Sucette ».

D'un pas assuré, je me dirige vers elle. Je dois bien poursuivre mon enquête.

Sucette m'accueille avec un sourire qui ferait rougir tous les garçons de ma classe.

— Bonjour. Tu dois être Cédric, l'étranger ?

J'opine de la tête, surpris qu'elle connaisse déjà mon nom. Les nouvelles circulent vite dans un petit village. Puis au moment où je veux la questionner, aucun mot ne sort de ma bouche. Je reste figé, comme lorsque je dois parler devant les élèves de ma classe pour une présentation orale. Sucette élargit son sourire.

— Moi, je m'appelle Sucette. Bienvenue chez nous.

En guise de réponse, je lui offre un sourire timide qui ne rivalise pas du tout avec le sien.

Devant mon silence, elle poursuit son activité. Je la regarde travailler, comme un abruti. On dirait que je ne trouve rien d'intelligent à dire. Je reste planté là pendant de longues minutes qui me semblent une éternité. De temps en temps, Sucette m'observe du coin de l'œil en ricanant. Elle a l'air de s'amuser de la situation, contrairement à moi qui me crois toujours aussi idiot de faire le piquet. Dans ce monde chocolaté, je dois ressembler à une barre de chocolat bien plate.

Sucette a eu amplement le temps de remplir ses bouteilles. Au bout d'un certain temps, elle disparaît au loin, vers un chemin qui mène à une forêt. En la regardant s'éloigner, je ressens un petit pincement au cœur. J'avance tranquillement vers le sentier. Mes jambes bougent sans mon accord. Je ne comprends pas ce qui m'arrive. On dirait que mon corps est attiré par un aimant. Sucette serait-elle aimantée ? Je décide d'aller au bout de mon attirance. C'est peut-être un signe qu'il y a quelque chose à découvrir dans cette forêt. On verra bien où tout ça me mènera...

Chapitre 6

Seul dans la forêt chocolatée

Je n'ai pas de félicitations à me faire. Vraiment, je suis en colère contre moi. Me voilà seul, au milieu d'une forêt en chocolat où tout est sombre. Pas moyen de s'orienter dans ce milieu brun. Je comprends très bien la famille Choco-Proprio qui n'a jamais été capable de retrouver son rejeton. Ils ont dû être très tristes de ne jamais le revoir. Je me sens aussi perdu qu'ils devaient l'être. Je fais les cent pas, de gauche à droite, mais il n'y a rien à faire. J'ai l'impression de ne pas avoir bougé d'un carré de chocolat. Me voilà dans de beaux draps. Évidemment, j'ai la chance de pouvoir manger tout le chocolat dont j'ai envie. Je ne mourrai pas de faim, c'est sûr! Mais qui donc voudrait dévorer un vieil arbre avec plein de petites fourmis en chocolat noir qui gigotent sur le tronc ? Pas moi, c'est certain. Alors, je patienterai jusqu'à ce que mon ventre crie : « Au chocolat ! »

À force de marcher, la fatigue commence à s'emparer de moi. La forêt me semble assez tranquille. Autour de moi, il n'y a que de gros arbres, de petits cailloux et des arbustes qui sentent délicieusement le chocolat à la menthe. Aucun danger en vue. C'est l'endroit idéal pour me reposer et reprendre de l'énergie. Je m'accroupis dos à un arbre près d'un buisson. La tête penchée sur le côté, mon nez s'émoustille devant l'odeur de la menthe. La fatigue l'emporte sur l'estomac. Mes yeux se font tout petits. Je me laisse bercer par le bruit des feuilles dans le vent. Après un moment, je n'entends plus rien.

Chapitre 7

Rencontre avec un monstre

Ça y est, je suis cuit ! Devant moi, à quelques centimètres de mon visage, trois grands yeux globuleux me scrutent. Ces yeux sont accrochés à une grosse tête brune parsemée de poils épais et multicolores. C'est évident : je suis face au monstre de la forêt. Encore une fois, je sens la sueur perler sur mon front.

— Au secours !

Je me fais secouer, non pas par le monstre, mais par Sucette qui me regarde d'un air étrange. J'étais en train de rêver. D'ailleurs, mon cœur joue à nouveau du tambourin dans ma poitrine. Si ce n'était pas de Sucette, je serais encore dans mon cauchemar. Je lui en dois toute une. Au fait, est-ce que mon cœur bat la chamade à cause de mon mauvais rêve ? Ou est-ce parce qu'il a senti l'arrivée de Sucette ? Peu importe, je pense que j'ai trop écouté le vieux Moka! Je ris de moi-même. Depuis quand est-ce que je crois aux monstres ? Je n'ai quand même plus quatre ans.

D'un bond, je me lève. Je ne veux surtout pas qu'elle voie que j'ai eu peur. Mine de rien, je prends un caillou en chocolat dans une main et je le croque à pleines dents. Ça fait « crunch » dans ma bouche et le caramel qui coule sur ma langue est encore meilleur que toutes les confiseries que j'ai déjà goûtées. Après tout, ça fait plusieurs heures que je ne me suis rien mis sous la dent

alors que je suis en pleine croissance.
Et maman n'est pas ici pour me dire
que le chocolat n'est pas nutritif !
Alors, aussi bien en profiter.

Une fois refait le plein d'énergie, je
pars rejoindre Sucette qui me fait
signe de la suivre de son index.
Qu'est-ce qu'elle me veut ?

Chapitre 8

Choco-La-Truffe

Les mains moites, le cœur battant et les joues rouges, je rattrape Sucette. Je la surnomme en secret la petite fée des chocolats. Je n'oserais jamais le lui dire, mais pour une fille, elle court drôlement vite. Nous ralentissons pour entrer dans un petit sentier appelé l'Allée de la vanille. Cet endroit est magnifique. À notre droite, une rivière en chocolat blanc coule doucement. Le reste du paysage, les arbres, les brindilles et les buissons dégagent une odeur de crème glacée à la vanille. Au-dessus de ma tête pendouillent des bananes enrobées de chocolat à la vanille! Si ce n'était que de moi, je courrais au village me chercher un coulis au chocolat, pour verser sur une banane, et je la dévorerais. Miam. Non seulement la nature est blanche comme de la neige, mais elle brille magnifiquement au soleil. On dirait des morceaux de cristaux éparpillés un peu partout. Peut-être que Sucette, la petite fée des chocolats, vient souvent dans la forêt, car elle semble très à l'aise. Elle gambade tout bonnement dans le sentier et a l'air de savoir exactement où elle doit déposer chacun de ses pieds, sans trébucher sur une branche ou un fruit au chocolat trop mûr, tombé de sa branche.

Arrivée au bout de la rivière blanche, Sucette s'arrête d'un coup sec. Si je n'avais pas eu les yeux sur elle, nous nous serions heurtés. Elle se tourne vers moi et prend un air sérieux que je ne lui connaissais pas.

— J'ai quelque chose à te montrer de l'autre côté. Mais avant de traverser, je dois être certaine d'une chose.

— Laquelle ?

— Es-tu vraiment venu ici pour nous aider, Cédric ? Avant de poursuivre notre route, j'ai besoin de le savoir.

Je suis surpris par cette question. Si je suis venu ici pour aider les villageois ? Évidemment.

— Écoute, Sucette. Je ne peux pas te cacher que je suis arrivé dans votre village par curiosité. Je ne connaissais pas du tout l'existence d'un tel endroit.

Mais maintenant que j'y suis et que je connais l'importance de préserver l'endroit le plus chocolaté du monde, tu peux compter sur moi.

La petite fée des chocolats me fixe du regard pour s'assurer de mon honnêteté. Normalement, j'aurais été vexé par ce manque de confiance. Mais puisqu'il s'agit de Sucette, je rougis instantanément et je ne fais qu'espérer qu'elle me croie. Sucette éclate de rire, en me donnant une tape sur l'épaule.

— D'accord. Puisque tu me sembles sincère et surtout beaucoup trop sage pour mentir, je vais te faire confiance.

Sucette m'apparaît la plus belle des fées quand elle rit de cette façon.

— Cédric ? M'écoutes-tu ?

Oups ! Je dois cesser de rêver.

— Mais bien sûr que je t'écoute !

— Parfait. Alors il ne te reste plus qu'à me jurer une chose.

Je suis tellement intrigué que je suis prêt à lui promettre la lune si elle la veut. Ça doit être important, puisque Sucette a le regard insistant.

— Tu ne te fâcheras pas ? Parole d'honneur ?

— Moi, me fâcher contre cette petite fée des chocolats ? Impossible !

— Promis, je ne me fâcherai pas.

— Alors, suis-moi.

Nous traversons un pont en bois, dissimulé par le feuillage d'un petit arbuste chocolaté à la vanille. Une fois de l'autre côté de la rivière, nous marchons quelques mètres pour nous retrouver devant une grande hutte fabriquée de bâtons en chocolat noir. Je me demande bien ce qu'il peut y avoir là-dessous. Je dois avouer que dans ce paysage blanc, cet abri foncé est très mystérieux.

Pendant que j'observe l'abri devant nous, un drôle de gloussement se fait entendre. Je regarde Sucette qui m'apparaît soudainement très étrange. Je fixe les yeux de celle qui m'a guidé jusqu'ici. Une branche craque dans la hutte, comme si quelqu'un venait de l'écraser. Suis-je le seul à avoir peur tout à coup ?

Puis le pire arrive. Alors que je suis le plus éveillé du monde, je me mets à revivre mon cauchemar avec la bête poilue. Quatre grosses pattes

poilues, rouges, mauves et jaunes, sortent de l'abri en même temps qu'une énorme tête ébouriffée. Deux grands yeux globuleux se tournent vers moi. Je n'ai pas le temps de compter jusqu'à deux, que je cours me cacher derrière un arbre, les jambes tremblotantes. Sucette, restée debout bien sagement à côté du monstre, me

regarde drôlement. Non seulement elle n'a pas l'air apeurée, mais elle a retrouvé son sourire habituel.

— Cédric ! Sors de ta cachette ! J'ai quelqu'un à te présenter.

Je suis sceptique. Est-ce que tout ça est un coup monté ? Et si Sucette avait été gentille avec moi pour m'attirer vers ce monstre ? Encore pire ! Si elle m'avait jeté un sort pour que je la suive jusqu'ici pour m'offrir en pâture à Chocolaterreur ? Parce que selon moi, il s'agit bien de lui, le monstre qui dévore toutes les récoltes des villageois. La légende du vieux Moka est donc vraie.

Voyant que je ne bouge pas, Sucette se dirige vers moi pour me tendre la main.

— Allez viens. Tu n'as pas à avoir peur, c'est un ami à moi, me dit-elle de son plus beau sourire.

— Tu es ami avec un... MONSTRE ?

Elle rit tellement fort que j'en suis gêné. Mais son rire est tellement doux à mes oreilles que finalement, ça ne me dérange pas trop.

— Pas un...UNE. Cédric, je te présente Choco-La-Truffe. La plus grande spécialiste de truffes au chocolat que je connaisse.

Elle ? Ce n'est donc pas un monstre, mais « UNE » monstre ? Je suis hébété...

— C'est donc cette...bête...qui... vole les... récoltent du... village ?

Celle que j'appelle la bête me regarde d'un drôle d'air. Les sourcils froncés, elle émet un petit cri de protestation. Je ne sais pas ce qu'elle essaye de dire, car je ne connais pas le langage des monstres.

— Qu'est-ce qu'elle dit ?

Sucette sourit à son amie pour la rassurer avant de se tourner vers moi.

— Elle n'aime pas qu'on l'accuse pour rien.

— Mais...alors si ce n'est pas Choco-La-Truffe qui vole le village, ça veut dire que ce serait...TOI ?

Sucette, a la mine basse. Elle fixe ses pieds qui remuent, sans but précis, le chocolat séché par terre.

— Oui, c'est moi...

— Nom d'un chocolat périmé ! Je ne l'aurais jamais cru. Je suis plus que surpris.

— Mais te rends-tu compte des conséquences ? Comment les villageois vont réagir ? Tout le monde te fait confiance au village.

— Pas la peine d'en ajouter Cédric. Je sais tout ça. C'est pour ça que je t'ai amené jusqu'ici.

Elle s'est donc servie de moi ? Je me sens soudain déçu, bête, et désappointé. Comment va-t-on se sortir de là ? Je n'ai pas envie de trahir Sucette en allant tout raconter au vieux Moka. Elle et moi, on commence tout juste à être des amis. Mais quelle autre option s'offre à moi ? Après tout, je me suis porté volontaire pour résoudre le problème des villageois.

— OK. Puisque tu m'as entraîné ici, je veux tout savoir. Raconte-moi l'histoire de A à Z. Nous verrons ce que nous pourrons faire par la suite. Mais je t'avertis! Je veux la vérité !

Les yeux brillants, Sucette a retrouvé son plus beau sourire. Elle prend une grande inspiration et me dit toute la vérité. C'est donc ainsi que j'apprends comment la petite fée des chocolats a découvert Choco-La-Truffe.

Alors qu'elle se promenait tout bonnement dans la forêt, un matin, elle avait entendu un énorme vacarme. D'abord terrorisée, elle eut envie de quitter l'endroit à toute vitesse. Puis un autre bruit attira son attention. Au bord de la rivière, quelqu'un semblait pleurer. Sucette dans toute sa gentillesse voulut venir en aide à cette personne. Prudemment, elle s'approcha donc des reniflements. C'est alors qu'elle fit la découverte de cette petite bête vulnérable et sans défense. Choco-La-Truffe s'était égarée dans les bois, depuis très longtemps. Sucette ne sut pas depuis combien de temps, mais selon la légende de Moka, le monstre existerait depuis plusieurs années. Elle était sans abri ni nourriture pour survivre. En voyant pleurer cette bête sans défense, Sucette n'eut plus peur du tout. Elle voulut plutôt lui venir en aide le plus vite possible. On peut dire que Sucette a fait preuve de beaucoup de courage et d'altruisme.

Choco-La-Truffe et Sucette sont rapidement devenues des amies. Ma petite fée des chocolats vient rendre visite à sa nouvelle compagne chaque jour. Évidemment, elle lui apporte de quoi manger. Elle s'assure qu'elle ne manque de rien. Choco-La-Truffe a l'appétit d'une ogresse. Voilà comment les récoltes ont commencé à disparaître à grande vitesse. Sucette a souvent pensé à amener Choco-La-Truffe au village, pour la présenter aux autres, mais il y avait cette légende d'un monstre méchant dans la forêt qui apeurait les villageois. Elle connaissait aussi l'histoire de l'affrontement entre les deux familles qui avaient été à l'origine de son village. Elle n'était pas certaine qu'aujourd'hui encore, on accepterait un membre provenant d'une famille de monstres. Pourtant Choco-La-Truffe est un monstre très doux et une spécialiste de la confection de truffes en chocolat. Mais Sucette n'a jamais osé la présenter aux villageois de crainte qu'ils ne la chassent encore plus loin.

— Écoute, Sucette, je ne sais trop quoi te dire. Le vieux Moka est persuadé de l'existence de Choco-La-Terreur. Je ne sais pas comment j'arriverais à le convaincre que Choco-La-Truffe n'est pas dangereuse.

Sucette me semble soudainement très triste. Elle espérait vraiment que je trouve une solution. Et moi, je cherche très fort, mais les idées ne me viennent toujours pas.

— À moins que...

— Quoi ? Dis-moi à quoi tu penses, Cédric !

Je suis à présent fier de moi.

— Si je retournais au village seul et que j'essayais de leur proposer un arrangement ?

— Qu'est-ce que tu veux dire ?

— Écoute bien. Si Choco-La-Truffe aide les villageois dans leurs prochaines récoltes, ils verront bien qu'elle se conduit de façon exemplaire. Elle est grande et forte, elle leur sera utile. Si, en plus, tu te proposes comme marraine pour surveiller et soutenir Choco-La-Truffe, cela pourrait aider. Mais il faudra me promettre de leur dire toute la vérité. À l'avenir, plus de mensonges. Je pense que Moka accepterait qu'elle s'installe avec vous, le temps d'un essai ? Qu'en dis-tu ?

— Oh ! Cédric. Ce serait tellement génial !

L'enthousiasme de Sucette me donne beaucoup d'énergie. Je dois maintenant penser à la façon d'annoncer la nouvelle au vieux Moka. Après tout, il n'a plus l'âge d'entendre d'aussi grosses surprises. La partie n'est pas gagnée.

— Mais qu'est-ce que tu attends, Cédric ? Vas-y, allez !

Je ne peux plus reculer. Je les salue et prends le trajet inverse pour retourner au village. Étrangement, je n'ai pas de difficulté à retrouver mon chemin. Je me laisse guider par les odeurs sucrées de la forêt et cette nouvelle force que je sens monter en moi.

Chapitre 9

L'entente

J'ai dû m'expliquer avec le vieux Moka une bonne partie de l'après-midi. Après une longue discussion, nous sommes arrivés à une entente. Ça n'a pas été facile. Premièrement, parce que le vieil homme ne comprenait rien à mon discours. J'ai dû le lui raconter au moins cinq fois. Deuxièmement, parce qu'il avait très peur. J'ai fait de mon mieux pour le rassurer.

Choco-La-Truffe peut maintenant venir rencontrer les gens du village pour se présenter. Si tout se passe bien, les villageois sont prêts à l'accepter parmi eux. Par contre, il y a une condition incontournable. Choco-La-Truffe devra se conformer aux mêmes règles que tous les autres habitants, c'est-à-dire participer aux récoltes et contribuer à la vie du village. Et bien sûr, leur faire goûter ses excellentes truffes. Mais il n'y aura aucun passe-droit.

Quant à Sucette, elle ne s'en sortira pas aussi facilement. Les villageois sont très fâchés de tous les mensonges qu'elle a racontés. Elle devra faire plusieurs heures de travail communautaire pour se racheter, cueillette des champs de cacao, entretien des jardins des villageois, surveillance des enfants baigneurs dans la fontaine chocolatée, etc. Les prochaines semaines vont être chargées! Je crois qu'à l'avenir, elle y pensera à deux fois, avant de faire des cachoteries.

J'ai trouvé que Moka était très sévère, mais je ne suis pas inquiet. J'ai confiance que Choco-La-Truffe saura bien se tenir. Je l'ai vu dans son visage quand je lui ai appris la bonne nouvelle. Ses yeux, qui m'avaient paru globuleux lors de notre première rencontre, brillent maintenant comme les étoiles. Je crois même apercevoir un petit quelque chose au fond de son œil droit qui dit enfin, je vais pouvoir avoir une vie normale, avec des amis et une famille, sans me cacher.

Il n'y a pas que Choco-La-Truffe qui a bondi de joie quand j'ai annoncé qu'elle pourrait venir vivre au village. Sucette est tout aussi contente qu'elle, sinon plus. Elle est même allée jusqu'à me sauter au cou! Fidèle à moi-même, j'ai rougi comme une cerise avant d'être enrobée de chocolat. J'ai bien essayé de cacher ma timidité, mais j'ai bien vu que ça n'avait pas fonctionné, quand Sucette a dit :

— C'est quoi ce boum boum qu'on entend ? On dirait une fanfare!

Ça y est, j'ai le cœur en fanfare maintenant !

Chapitre 10

Un bisou...
chocolaté !

Pour célébrer le retour à la vie
normale, une grande fête a lieu au
village. Chacun des villageois a
concocté sa spécialité au chocolat :
crème glacée, gâteaux, biscuits,
crêpes, tartes et galettes. Tous ces
beaux plats se retrouvent sur une

grande table rectangulaire, au centre du village, tout près de la fontaine de chocolat.

C'est un vrai festival de sourires. Tous les habitants sont heureux, y compris moi, qui veux goûter à tout! Maman ne m'aurait jamais permis de manger autant de chocolat! Il faut en profiter.

Au cours de la fête, les habitants viennent me remercier un à un pour avoir ramené la paix au village. Sucette me suit partout, bien heureuse de me présenter à tout un chacun. Depuis que j'ai réussi à intégrer sa nouvelle amie parmi les siens, elle me regarde différemment et je suis très content.

Puis est venu le temps pour moi de quitter cet endroit merveilleux pour retourner à la réalité. J'aimerais bien pouvoir amener avec moi mes nouveaux copains. Mais comme je sais que ce n'est pas possible, je prends le temps de leur dire au revoir. Quand est venu le tour de Sucette, une grosse boule envahit ma gorge. Aucun mot ne veut sortir de ma bouche. En colère, mes yeux se remplissent d'eau. J'ai envie de pleurer tellement je suis fâché. Je veux absolument lui dire au revoir comme elle le mérite! Elle s'avance vers moi, avec son beau sourire étincelant :

— Merci pour tout. Tu vas me manquer, me dit-elle en riant comme une petite fée.

Elle me prend ensuite par la main et nous nous dirigeons tout naturellement vers la porte par laquelle je suis arrivé au village. Je me souviens alors que celle-ci était verrouillée. J'arrête de marcher brusquement.

— Qu'est-ce qu'il y a, Cédric ?

— La porte.

— Quoi, la porte ?

— Elle est verrouillée. Je ne pourrai jamais rentrer chez moi.

Sucette me sourit.

— Laisse-moi faire.

Ma petite fée des chocolats s'approche doucement de la porte. Elle prononce ensuite un jargon en posant la main sur la poignée.

— Chocolati-cacaolo-truffio !

La porte s'ouvre, comme par magie. Sucette se tourne ensuite vers moi, tout sourire.

— Votre porte vous attend, mon cher.

Impressionné, je réalise à peine ce qui vient de se passer. C'était pourtant simple. La porte ne pouvait s'ouvrir sans la formule magique prononcée par Sucette. Voilà pourquoi je n'étais pas capable de retourner à la chocolaterie. Être à la place des villageois, j'aurais inventé une formule magique pour ouvrir la porte, moi aussi. Avec toutes ces récoltes qui disparaissaient, il était tout à fait normal de vouloir protéger l'endroit. Voyant que j'ai compris, Sucette me fait un joli clin d'œil.

Je suis maintenant prêt à quitter cet endroit chocolaté. Au moment où je m'apprête à traverser, Sucette s'écrie :

— Attends !

Surpris, je me retourne.

Ma petite fée des chocolats s'avance vers moi. Elle pose un baiser rapide sur ma joue. Elle se recule ensuite et m'envoie la main en riant. Après quoi, elle repart vers le village en gambadant. C'est la dernière image que je garde d'elle pour l'instant. Car je me promets de revenir un jour la visiter.

Chapitre 11

Retour à la réalité

Je referme la porte derrière moi quand j'entends au loin, madame Maude, la chocolatière, saluer la classe.

— Merci de votre visite. N'hésitez pas à venir me dire bonjour avec vos parents, j'aurai grand plaisir à vous revoir.

Zut ! Je vais manquer l'autobus.

— Attendez-moiiiiiiiiiiiiiiiiii !

J'exécute une course folle pour rejoindre l'autobus dont la portière se referme déjà.

Le souffle court, les jambes flageolantes, je suis à peine à quelques mètres quand le chauffeur m'aperçoit. Ouf ! De justesse...

Je monte dans l'autobus, avec peu de chance de passer inaperçu. Je grimpe les marches doucement, dans l'espoir de ne pas trop me faire gronder.

Je croise la chocolatière qui s'apprête à descendre de l'autobus.

Elle me sourit et me fait un de ses clins d'œil mystérieux. Surpris, je fronce les sourcils. Serait-elle au courant de mon aventure dans le monde chocolaté ? Je ne le saurai probablement jamais...

Madame Lafouine est debout dans l'allée, au centre de l'autobus. Elle met sa main sur la tête de chaque élève pour faire le décompte tout en faisant un retour sur la journée.

— Les enfants, je sais que vous êtes déçus de ne pas avoir dégusté le chocolat comme c'était prévu à l'horaire. Malheureusement, il arrive parfois des événements qui sont indépendants de notre volonté. Par contre, pour vous remercier de votre patience, la chocolaterie nous a offert une belle grosse boîte de chocolats. Nous pourrons les goûter une fois de retour en classe.

Je profite de cette annonce et de l'enthousiasme qu'elle produit sur les élèves pour me glisser discrètement dans le premier banc de l'autobus. J'ai réussi à passer inaperçu. Je m'étire le cou jusqu'au rétroviseur juste devant de moi. Je suis ébahi. Les yeux écarquillés, la bouche en forme de O, ce n'est pas seulement moi que je vois dans le petit miroir. Autour de ma bouche et sur mes joues se trouve une exposition de chocolat. De multiples taches brunes et sucrées sont éparpillées un peu partout sur mon visage. L'une d'elle a même la forme de lèvres. Même mes vêtements et mes chaussures sont maculés de

chocolat. Je souris puisque je sais que je n'ai rien imaginé. Le village chocolaté existe vraiment !

Madame Lafouine me tire de ma rêverie.

— Ça y est ! Le compte est bon. Tout le monde est là, nous pouvons partir.

Au même moment, Loïc le gourmand s'avance vers notre professeur et lui tapote l'épaule.

— Madame, pourquoi Cédric a eu droit à une dégustation, lui ?

À présent, tous les yeux des élèves sont rivés vers moi...

— Oups !...

FIN

Chocoanecdote...

Vers 1750, les gens de la « haute société » ont contracté le goût et l'habitude de consommer le chocolat. À Québec et à Montréal, entre autres, offrir à boire du chocolat chaud était un signe de raffinement et de luxe. À cette époque, le chocolat chaud pouvait constituer à lui seul un petit déjeuner. De quoi nous donner envie de reprendre cette tradition.

Chocoquiz

Connais-tu bien ton chocolat ? Réponds aux questions suivant, pour le savoir.

1. Comment s'appelle l'arbre qui produit les fèves de cacao ?

2. En quelle année la première publicité du chocolat a-t-elle paru ?

3. Vrai ou faux ? Le chocolat noir contient des éléments qui lui donnent des propriétés anticarie.

4. Qu'est-ce que le chocolat de couverture ?

5. Comment fait-on le tempérage du chocolat ?

6. Comment se nomme l'opération qui donne au chocolat de couverture éclat et stabilité ?

7. Pourquoi le chocolat blanc est-il blanc ?

8. Vrai ou faux ? Christophe Colomb n'a pas aimé son premier contact avec le chocolat.

9. Nommez les fêtes où le chocolat est à l'honneur.

Réponses :

1. Le cacaoyer.

2. C'est en 1776 que la toute première publicité du chocolat a lieu.

3. Vrai. Dans le chocolat noir, on retrouve beaucoup de fluor. Le fluor protège de la carie, en renforçant l'émail des dents.

4. Le chocolat de couverture est

composé de *pâte de cacao, de beurre de cacao, de sucre, de lait entier, de lécithine de soya et d'un arôme.* Il a souvent l'allure de petites pastilles, dans les chocolateries.

5. Le tempérage ou la mise au point. Le tempérage a un rôle déterminant dans la fabrication du chocolat. Si le chocolatier ne le fait pas, le chocolat ne brillera pas et sera plus difficile à démouler. Quand on brise une tablette de chocolat, sa belle cassure nette, qui fait parfois un drôle de bruit, est le fruit du tempérage.

6. La technique du tempérage consiste à chauffer le chocolat pour l'amener à l'état liquide. Par la suite, le chocolatier ajoute des pastilles de chocolat pour abaisser la température du chocolat et l'amener à son point de cristallisation. Le chocolatier fait chauffer à nouveau le chocolat, pour faire fondre les cristaux restants. Il peut ensuite travailler le chocolat comme il le désire.

7. Le chocolat blanc est composé de sucre, de poudre de lait, de beurre de cacao, de lécithine et de vanille. Comme il ne contient pas de pâte de

cacao, il n'a ni la couleur ni la saveur du vrai chocolat. Ce qui explique bien pourquoi certaines personnes adorent le chocolat au lait, mais n'aiment pas du tout le chocolat blanc.

8. Vrai. En 1502, Christophe Colomb et son équipage, approchant des côtes mexicaines, virent arriver une embarcation où prenaient place vingt-cinq indigènes. Ces derniers leur offrirent des fèves de cacao et une boisson de cacao. Christophe Colomb et ses compagnons y goûtèrent et le trouvèrent franchement mauvais. Ils étaient loin de se douter de la

popularité qu'allait avoir le chocolat par la suite.

9. L'Halloween, Pâques, Noël et la Saint-Valentin.

Recettes de truffes

Chocolatruffe a eu la gentillesse de publier sa recette de bonnes truffes au chocolat. Pour faire les meilleures truffes au chocolat du monde, on aura besoin de :

400 g de chocolat au lait

150 ml de crème très épaisse (double crème)

Extrait de vanille au goût

Du cacao en poudre pour garnir les truffes (ou des pistaches broyées, de la cannelle, etc.)

Les chocoétapes à suivre :

1. Dans un bol allant au micro-ondes, briser le chocolat au lait en petits morceaux et le mélanger avec la crème et l'extrait de vanille.

2. Déposer le bol dans le four à micro-ondes. Faire fondre le chocolat par tranches de 20 secondes. Remuer le chocolat toutes les 20 secondes, pour qu'il ne cuise pas.

3. Lorsque le chocolat est bien fondu, le laisser refroidir un peu sur le plan de travail de la cuisine. Une fois le plat moins chaud, on peut le déposer au réfrigérateur, pendant environ trois heures.

4. Vérifier le mélange de chocolat au frigo. Si le mélange chocolaté est ferme, c'est qu'il est prêt pour la confection des truffes. S'il est trop mou, le laisser durcir encore un peu au réfrigérateur.

5. Lorsque le mélange est ferme, on peut former de petites boules (environ 2 cm de diamètre). Les rouler ensuite dans sa garniture préférée et les déposer sur une plaque ou dans un contenant. Répète la même chose jusqu'à ce qu'il n'y ait plus de mélange chocolaté.

6. Déposer la plaque ou le contenant au réfrigérateur (environ ceux heures).

7. On peut enfin goûter aux meilleures truffes du monde !

Table des chapitres